Langenscheidt

Englisch – keine Hexerei

Eine Wörterlern-Geschichte für Kinder

Von Claudia Guderian (Text)
und Irmtraud Guhe (Zeichnungen)

L

Langenscheidt
Berlin · München · Wien · Zürich · New York

Muttersprachliche Durchsicht: Wendy Pirie

Umwelthinweis: Gedruckt auf chlorfrei gebleichtem Papier
Titelgestaltung: Independent Medien-Design unter Verwendung von
Zeichnungen von Irmtraud Guhe

1. 2. 3. 4. 5. 05 04 03 02 01

Liebe Eltern, Großeltern, Lehrerinnen und Lehrer, …

Europa wächst zusammen, die Kulturen rücken näher und Menschen aus verschiedensten Ländern tauschen sich aus. Was wäre da wichtiger, als Sprachen zu lernen? Damit können Kinder gar nicht früh genug anfangen, denn je jünger sie sind, desto leichter fällt es ihnen. In den meisten Grundschulen und auch in vielen Kindergärten wird daher schon eine Fremdsprache angeboten, und viele Eltern möchten ihren Kindern auch zu Hause die Möglichkeit bieten, sich mit der englischen Sprache vertraut zu machen. Dabei hilft Ihnen „Englisch – keine Hexerei".

Kinder sollten Englisch erst dann lesen lernen, wenn sie deutsche Texte sicher und gut lesen und schreiben können. „Englisch – keine Hexerei" ist daher als Hörspiel konzipiert: Auf zwei CDs wird die Geschichte von der deutschen Hexe Huckla erzählt, die durch einen Wirbelsturm nach England verschlagen wird. Dort lernt sie die englische Hexe Witchy kennen. Mit ihr erlebt sie so allerlei – und natürlich lernt sie mit ihr auch viele englische Wörter. Ihr Kind lernt beim Zuhören mit. Dennoch haben wir die Wörter auch im Buch abgedruckt – für größere Kinder oder für Erwachsene, die sich mit den Kindern die CDs anhören. Die Wörter sind immer in der Reihenfolge und in der Form abgedruckt, in der sie auch im Text vorkommen.

Beim Hören kann Ihr Kind sich zusätzlich die Bilder im Buch ansehen. Auf den Bildern gibt es allerhand zu entdecken. Wenn Sie das Buch gemeinsam ansehen, können Sie Ihr Kind ermutigen, das Bild zu beschreiben, einzelne Gegenstände zu suchen, die Episode weiterzuspinnen … Je mehr das Kind sich auch auf Deutsch mit der Geschichte beschäftigt, desto leichter bleiben die englischen Wörter hängen, und bei der Beschreibung des Bildes wird Ihr Kind sie vielleicht schon verwenden.

Auch wenn Ihr Kind beginnt, englische Wörter in deutsche Sätze einzuflechten, sollten Sie es dabei unterstützen: Es ist durchaus in der Lage, Deutsch und Englisch voneinander zu unterscheiden – es probiert nur seine neu erworbenen Sprachkenntnisse aus und spielt mit der englischen Sprache.

Die einzelnen Abenteuer der Geschichte bauen aufeinander auf. Das heißt, dass die Wörter jedes Abenteuers für die folgenden Abenteuer als bekannt vorausgesetzt werden. Wenn Ihr Kind oder Sie einmal ein wichtiges Wort vergessen haben, können Sie im Register am Ende des Buches problemlos nachschlagen, auf welcher Seite das Wort zum ersten Mal vorgekommen ist. Dort finden Sie dann schnell die Übersetzung des Wortes im jeweiligen Zusammenhang. Selbstverständlich können Sie sowohl deutsche als auch englische Wörter nachschlagen.

Wenn Ihr Kind ein bestimmtes Abenteuer noch einmal hören möchte, kann es auf Seite 48 nachsehen. Dort haben wir aufgelistet, welches Abenteuer unter welchem CD-Track zu finden ist, und dort finden Sie auch den Text des Hexensongs von Anfang und Ende des Hörspiels.

Und nun viel Spaß mit Huckla und Witchy!

Autorin und Verlag

Hu! Hu!

Hui! Hui! Hui!

Also, ich muss doch sehr bitten!

Tschüs Gerda!

Tschü-hüs!

Tschüsi Helga! Bis übermorgen!

Tschüsi! Bis zum Hexentanz!

Ach, tut das gut, endlich wieder frische Luft!

Juchuh! Gleich bin ich zu Hause! Bei mir im Wald!

Huch! Oje!

Lass mich runter, du blöder Sturm! Ich will nach Hause!

Wo bin ich denn gelandet? In einem Baum?

Wie Huckla Hexe nach England gewirbelt wird

① I'm Witchy.– Ich bin Witchy.

② I'm Huckla.– Ich bin Huckla.

③ Hello! – Hallo!

④ a witch – eine Hexe

⑤ here – hier

⑥ England – England

⑦ in – in

⑧ I speak English. –
Ich spreche englisch.

5

Was im Park so passiert

1. a branch – ein Ast
2. the leaves – die Blätter
3. the twigs – die Zweige
4. Look! – Guck mal!
5. a nest – ein Nest
6. birds – Vögel
7. a blackbird – eine Amsel
8. a worm – ein Wurm
9. Yummy! – Lecker!
10. Of course. – Na klar!
11. squirrels – Eichhörnchen
12. Come on! – Los!
13. the park – der Park
14. dog – Hund
15. Yes. – Ja.
16. the butterfly – der Schmetterling
17. grandma – Oma

    and – und
18. baby – Baby

    with – mit
19. a girl – ein Mädchen
20. pond – Teich
21. ducks – Enten
22. ducklings – Entchen
23. the boy – der Junge

    boys – Jungen
24. goldfish – Goldfische
25. Let's feed the ducks! –
    Lass uns die Enten füttern!

Hexereien auf dem Spielplatz

① playground – Spielplatz

② the swing – die Schaukel

③ the slide – die Rutsche

④ the ball – der Ball

⑤ Great! – Super!

⑥ sandpit – Sandkasten

⑦ the bench – die Bank

⑧ in the bin – im Mülleimer

⑨ grass – Gras

⑩ the bike – das Fahrrad

⑪ Can I have your bike, please? – Kann ich bitte dein Fahrrad haben?

your – dein

please – bitte

⑫ Thank you. – Danke.

⑬ the children – die Kinder

⑭ Yippee! – Juchu!

⑮ a castle – eine Burg

⑯ a bouncy castle – eine Hüpfburg

⑰ a horse – ein Pferd

⑱ a jogger – ein Jogger

⑲ Bless you! – Gesundheit!

⑳ a swan – ein Schwan

Stadtrundfahrt auf einem Schwan

1. a river – ein Fluss

2. To the harbour! – Zum Hafen!

3. Careful! – Vorsicht!

4. the sailing boat – das Segelboot

5. a boat – ein Boot

6. the underground – die U-Bahn

7. the church – die Kirche

8. the window – das Fenster

9. the shop – der Laden

10. the lighthouse – der Leuchtturm

11. the island – die Insel

12. rain – Regen

13. Rain, rain, go to Spain! – Regen, Regen, geh nach Spanien!

14. an umbrella – ein Regenschirm

15. sun – Sonne

16. eight – acht

17. nine – neun

18. ten – zehn

19. moon – Mond

20. a lorry – ein Lastwagen

21. a police car – ein Polizeiauto

22. a fire engine – ein Feuerwehrauto

23. a school – eine Schule

WITCHY

Im englischen Hexenhaus

1. in the garden – im Garten
2. chimney – Schornstein
3. on the roof – auf dem Dach
4. door – Tür
5. the fireplace – der Kamin
6. an oven – ein Ofen
7. the cobwebs – die Spinnweben
8. the moss – das Moos
9. the moss table – der Moos-Tisch
10. chair – Stuhl
11. moss armchair – Moos-Sessel
12. moss sofa – Moos-Sofa
13. the crystal ball – die Kristallkugel
14. my television – mein Fernseher
15. my radio – mein Radio
16. in the cupboard – im Schrank
17. my CD player – mein CD-Spieler
18. broomstick – Hexenbesen

    my – mein
19. upstairs – die Treppe hinauf
20. bedroom – Schlafzimmer
21. bed – Bett
22. the hammock – die Hängematte
23. sleep – schlafen

    you – du
24. the rat – die Ratte
25. brother – Bruder
26. sister – Schwester
27. family – Familie

Begegnung in Witchys Badezimmer

1. nightie – Nachthemd
2. pyjamas – Schlafanzug
3. the bathroom – das Bad
4. the vampire – der Vampir
5. the newt – der Molch
6. the toilet – die Toilette
7. the loo – das Klo
8. the toilet paper – das Toilettenpapier
9. the sink – das Waschbecken
10. hot water – heißes Wasser
11. cold water – kaltes Wasser
12. soap – Seife
13. towel – Handtuch
14. teeth – Zähne
15. a toothbrush – eine Zahnbürste
16. toothpaste – Zahnpasta
17. Good night! – Gute Nacht!
18. a shower – eine Dusche
19. a jellyfish – eine Qualle
20. a bath – eine Badewanne
21. Sleep tight! – Schlaf schön!
22. mirror – Spiegel
23. a head – ein Kopf
24. a crocodile – ein Krokodil
25. mouth – Mund

15

Hexereien mit Warzen und Buckel

① That's me. – Das bin ich.

② my body – mein Körper

③ arm – Arm

④ leg – Bein

⑤ hand – Hand

⑥ foot – Fuß

⑦ knee – Knie

⑧ feet – Füße

⑨ my tummy – mein Bauch

⑩ my bottom –
mein Allerwertester, mein Po

⑪ big toes – große Zehen

⑫ small toes – kleine Zehen

⑬ the shoulder – die Schulter

🎵 Head, shoulders, knees and
toes, knees and toes
And eyes and ears and
a mouth and a nose
Head, shoulders, knees and
toes, knees and toes

⑭ the neck – der Hals

⑮ the face – das Gesicht

⑯ a long nose – eine lange Nase

⑰ eyes – Augen

⑱ the ears – die Ohren

⑲ red hair – rote Haare

⑳ fat – dick, fett

㉑ No! – Nein!

㉒ warts – Warzen

㉓ a hump – ein Buckel

㉔ tomorrow – morgen

17

Hexen, verkleidet

① T-shirt – T-Shirt

② red shoes – rote Schuhe

③ socks – Socken

④ green – grün

⑤ wellies – Gummistiefel

⑥ the skirt – der Rock

⑦ a jumper – ein Pulli

⑧ an apron – eine Schürze

⑨ I'm hot! – Ich schwitze!

⑩ a coat – ein Mantel

⑪ a scarf – ein Schal

⑫ gloves – Handschuhe

⑬ boots – Stiefel

⑭ tights – Strumpfhose

⑮ thin – dünn

⑯ shorts – Shorts

⑰ blue jeans – Blue Jeans

⑱ the yellow dress – das gelbe Kleid

⑲ trousers – Hose

⑳ the anorak – der Anorak

㉑ trainers – Turnschuhe

㉒ pockets – Taschen

㉓ Bye! – Tschüs!

㉔ the hat – der Hut

㉕ red – rot

㉖ the woolly hat – der Wollhut

Ein verzaubertes Frühstück

1. toast – Toast

2. jam – Marmelade

3. jelly – Gelee

4. toad butter – Krötenbutter

5. yellow juice – gelber Saft

6. toadstools – Giftpilze

7. hot – heiß

8. cold – kalt

9. vegetables – Gemüse

10. wholemeal biscuits – Vollkornkekse

11. blue bananas – blaue Bananen

12. cornflakes – Cornflakes

13. mouldy cheese – Schimmelkäse

14. yoghurt – Joghurt

15. honey – Honig

16. cake – Kuchen

17. muffins – Muffins

18. eggs – Eier

19. ham – Schinken

20. Can I have some toast, please? – Kann ich bitte Toast haben?

21. a drink – etwas zu trinken

22. milk – Milch

23. cocoa – Kakao

24. lemonade – Limonade

25. mineral water – Mineralwasser

26. tap water – Leitungswasser

27. spider muesli – Spinnen-Müsli

NO BLACK RAVEN!

Witchys Haustiere

1. pets – Haustiere
2. hamster – Hamster
3. raven – Rabe
4. shark – Hai
5. fifty – fünfzig
6. bats – Fledermäuse
7. bedbugs – Wanzen
8. a snake – eine Schlange
9. a toad – eine Kröte
10. beetles – Käfer
11. a white rabbit – ein weißes Kaninchen
12. white mice – weiße Mäuse
13. Walter Mouse – Walter Maus

    Me? – Ich?
14. No black raven? – Keinen schwarzen Raben?
15. That's Robert the Raven. – Das ist Robert Rabe.
16. spiders – Spinnen
17. a black cat – eine schwarze Katze
18. in the wardrobe – im Kleiderschrank
19. a black monster – ein schwarzes Monster
20. mother – Mutter
21. father – Vater
22. fish – Fisch
23. a cockroach – ein Kakerlak
24. dinosaur – Dinosaurier

Hexereien im Zoo

① in the zoo – im Zoo

② the elephant – der Elefant

to – zu

③ the bear – der Bär

④ tame – zahm

⑤ the camel – das Kamel

⑥ the giraffe – die Giraffe

⑦ the donkeys – die Esel

⑧ a carrot – eine Möhre

⑨ Eat! – Friss!, Iss!

⑩ Do not feed the animals! –
Bitte nicht füttern.

⑪ a lion – ein Löwe

⑫ meat – Fleisch

⑬ tiger – Tiger

⑭ flamingoes – Flamingos

⑮ the peacock – der Pfau

⑯ a pets' zoo – ein Streichelzoo

⑰ cage – Käfig

⑱ iron bars – Gitter

⑲ a pig – ein Schwein

⑳ hippopotamus – Nilpferd

㉑ the monkeys – die Affen

㉒ the fence – der Zaun

㉓ a hundred – einhundert

Flug über die Stadt

1. a big wheel – ein Riesenrad
2. the bridge – die Brücke
3. car – Auto
4. taxi – Taxi
5. a motorbike – ein Motorrad
6. a red bus – ein roter Bus
7. seven red buses – sieben rote Busse
8. the tower – der Turm
9. the TV tower – der Fernsehturm
10. the ambulance – der Krankenwagen
11. a hospital – ein Krankenhaus
12. the dustbin men – Müllmänner
13. a train – ein Zug
14. an orange train – ein oranger Zug
15. to the station – zum Bahnhof
16. the palace – der Palast
17. my cousin – mein Vetter
18. the ghost – der Geist
19. the high-rise building – das Hochhaus
20. the tram – die Straßenbahn
21. Stop! – Anhalten!
22. the airport – der Flughafen
23. the street – die Straße
24. a plane – ein Flugzeug

Im Café Toadstool

1. toad pizza – Krötenpizza
2. spider spaghetti – Spinnen-Spaghetti
3. chicken legs – Hühnerbeine
4. chips – Pommes frites
5. fish 'n' chips – Fisch mit Pommes
6. food – Essen
7. Do you like soup? – Magst du Suppe?
8. Not really. – Nicht wirklich.
9. I like pizza. – Ich mag Pizza.
10. newts' eggs – Molcheier
11. large – groß
12. small – klein
13. bread – Brot
14. a dip – ein Dip
15. crisps – Kartoffelchips
16. for – für

    for me – für mich
17. yellow fish – gelber Fisch
18. blue chips – blaue Pommes
19. lice – Läuse
20. fried rice – gebratener Reis
21. And for dessert? – Und zum Nachtisch?
22. ice cream – Eis
23. mauve apples – lila Äpfel
24. hot chocolate – heiße Schokolade
25. chewing gum – Kaugummi
26. chocolate biscuits – Schokoladenkekse
27. sweet toadstool – süßer Giftpilz

29

Hexenspuk unterm Dach

1. magic wand – Zauberstab
2. magic book – Zauberbuch
3. magic word – Zauberwort
4. a doll – eine Puppe
5. building blocks – Bauklötze
6. a lamp – eine Lampe
7. Count! – Zähle!
8. one – eins
9. two – zwei
10. three – drei
11. a pirate – ein Pirat
12. a robber – ein Räuber
13. a robot – ein Roboter
14. a knight – ein Ritter
15. a sword – ein Schwert
16. a wizard – ein Zauberer
17. a cloak – ein Umhang
18. Turn into an Indian. – Verwandle dich in einen Indianer.
19. an Indian – ein Indianer
20. a fairy – eine Fee
21. You're a princess. – Du bist eine Prinzessin.
22. princess – Prinzessin
23. I'm a prince. – Ich bin ein Prinz.
24. Let's play cards. – Komm, wir spielen Karten.
25. magic trick – Zaubertrick

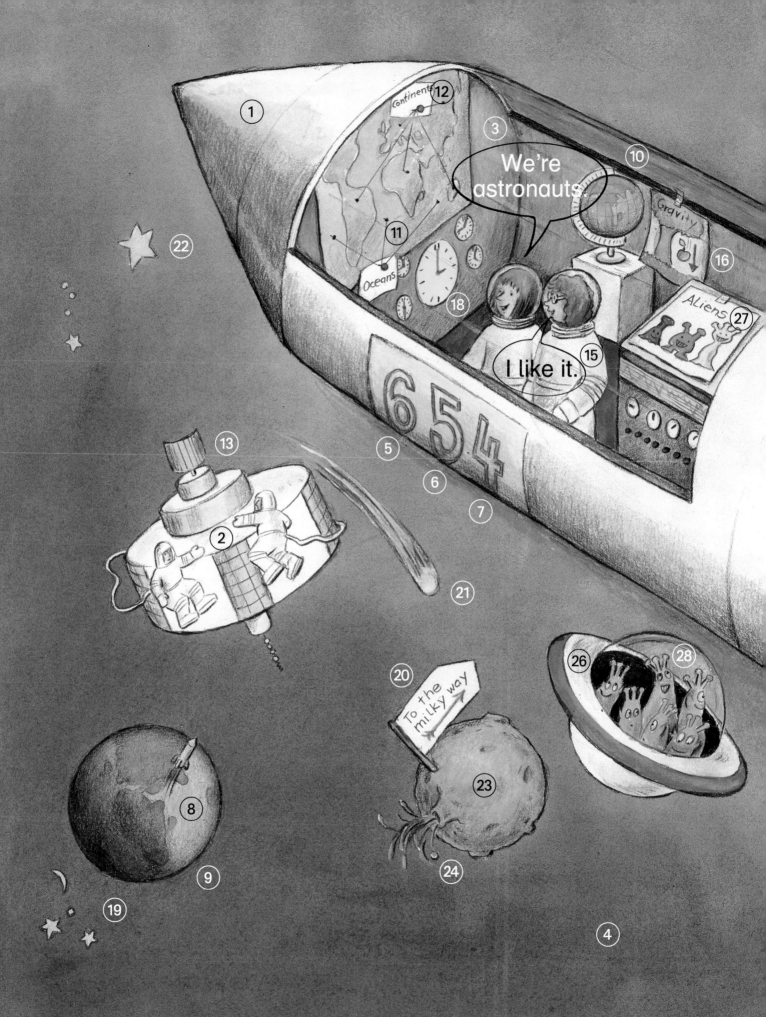

Ein Ausflug ins Weltall

1. a rocket – eine Rakete
2. astronauts – Astronauten
3. We're astronauts. – Wir sind Astronauten.
4. space – Weltraum
5. six – sechs
6. five – fünf
7. four – vier
8. take-off – Start
9. the earth – die Erde
10. a globe – ein Globus
11. oceans – Ozeane
12. continents – Kontinente
13. a satellite – ein Satellit
14. a spaceship – ein Raumschiff
15. I like it. – Es gefällt mir.
16. gravity – Schwerkraft
17. a shooting star – eine Sternschnuppe
18. time – Zeit
19. night – Nacht
20. to the milky way – zur Milchstraße
21. a comet – ein Komet
22. a star – ein Stern
23. a planet – ein Planet
24. a volcano – ein Vulkan
25. galaxy – Galaxie
26. a UFO – ein Ufo
27. aliens – Außerirdische
28. Martians – Marsmenschen

34

Eine Party für die Marsmenschen

① pigs' ears – Schweinsöhrchen

② Let's have a party! – Kommt, wir feiern eine Party!

③ Hurray! – Hurra!

④ Sit down! – Setzt euch!

⑤ Let's make a party hat! – Kommt, wir machen uns einen Partyhut!

⑥ Let's play! – Kommt, wir spielen!

⑦ What shall we play? – Was sollen wir spielen?

⑧ balloons – Luftballons

⑨ Let's dance! – Kommt, wir tanzen!

⑩ music – Musik

Let's celebrate! – Kommt, wir feiern!

⑪ Let's drink some toad punch! – Kommt, wir drinken Krötenpunsch!

⑫ pumpkins – Kürbisse

⑬ straws – Strohhalme

⑭ blue salad – blauer Salat

⑮ Let's play a game!. – Kommt, wir spielen ein Spiel!

⑯ leapfrog – Bockspringen

⑰ friend – Freundin, Freund

⑱ a present – ein Geschenk

⑲ a football – ein Fußball

Mit den Marsmenschen am Strand

1. the sea – das Meer
2. swimsuits – Badeanzüge
3. the beach – der Strand
4. sand – Sand
5. big rocks – große Felsen
6. blue – blau
7. a surfboard – ein Surfbrett
8. air beds – Luftmatratzen
9. goggles – Taucherbrille
10. flippers – Schwimmflossen
11. a snorkel – ein Schnorchel
12. a wetsuit – ein Schwimmanzug
13. sunscreen – Sonnenschutzmittel
14. a sunhat – ein Sonnenhut
15. sunglasses – Sonnenbrille
16. Tide is out. – Es ist Ebbe.
17. Tide is in. – Es ist Flut.
18. Pull me! – Zieh mich!
19. a swordfish – ein Schwertfisch
20. beach towel – Badetuch
21. paddling pool – Planschbecken
22. a bucket – ein Eimer
23. a spade – eine Schaufel
24. shells – Muscheln
25. pebbles – Kieselsteine
26. Are you a witch, too? – Bist du auch eine Hexe?
27. glass – Glas
28. Goodbye! – Auf Wiedersehen!

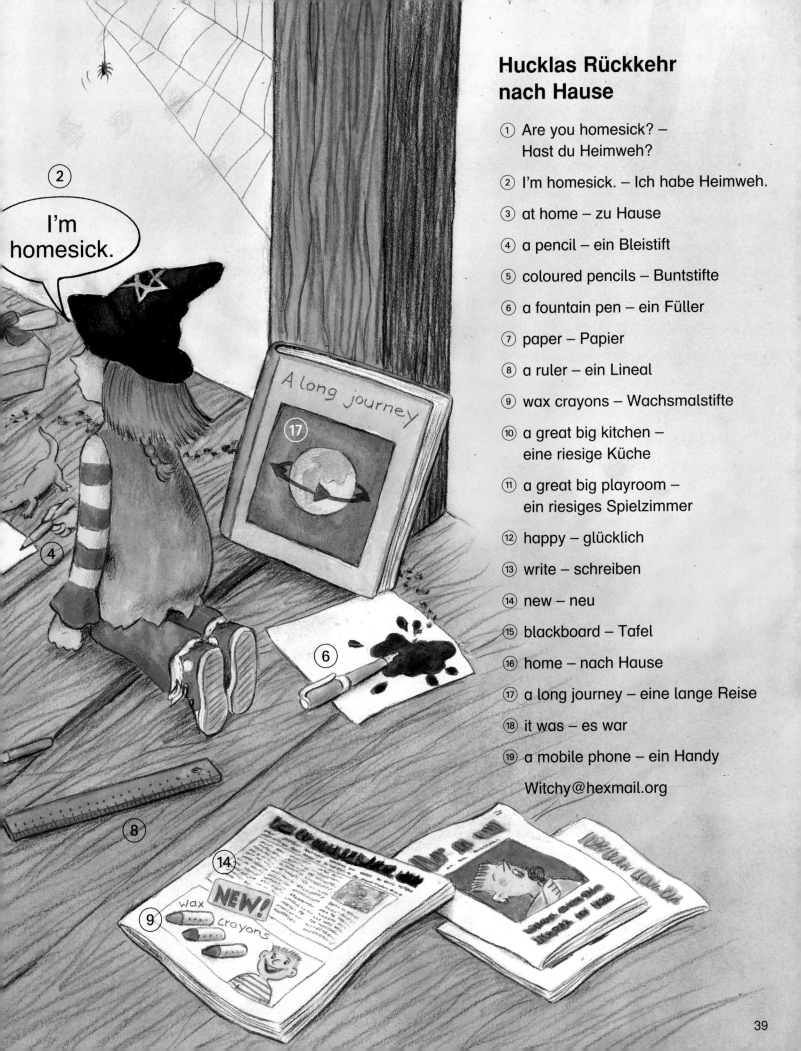

Hucklas Rückkehr nach Hause

① Are you homesick? – Hast du Heimweh?

② I'm homesick. – Ich habe Heimweh.

③ at home – zu Hause

④ a pencil – ein Bleistift

⑤ coloured pencils – Buntstifte

⑥ a fountain pen – ein Füller

⑦ paper – Papier

⑧ a ruler – ein Lineal

⑨ wax crayons – Wachsmalstifte

⑩ a great big kitchen – eine riesige Küche

⑪ a great big playroom – ein riesiges Spielzimmer

⑫ happy – glücklich

⑬ write – schreiben

⑭ new – neu

⑮ blackboard – Tafel

⑯ home – nach Hause

⑰ a long journey – eine lange Reise

⑱ it was – es war

⑲ a mobile phone – ein Handy

Witchy@hexmail.org

Es war toll mit dir.

It was great with *you*, Huckla.

① See you soon.

Bis bald! Good bye.

Goodbye, Huckla.

Und was soll ich sagen? Mein Zauberspruch?

Your magic words? „Back home, back home, back home." ②

Okay.

Back home, back home, back home.

Aua!!!

Wieso ist denn der Herd an? Ich bin doch gar nicht zu Hause!

Bist du wohl!

Hallöchen, ihr alten Kräuterhexen!

Hexengruß und Mäusekuss – Huckla, altes Haus!

Hattest du eine gute Reise?

Wir kochen hier gerade einen leckeren Porridge, damit du dich wie in England fühlst.

Danke!

③

41

Register

In diesem Register findest du alle Wörter und Sätze aus den Abenteuern. Hinter den Wörtern steht, auf welcher Seite du die Bedeutung finden kannst. Dort versteckt sich ein einzelnes Wort manchmal in einem Satz – aber wenn du genau hinsiehst, findest du die Wörter bestimmt.

Englisch – Deutsch

43

45

Tonaufnahmen: Eimsbütteler Tonstudio, Hamburg
Huckla: Martina Chignell-Stapleton
Witchy: Diandra Ingram
Erzähler: Wolfgang Kaven
und außerdem: Harley Beckett, Jocey Chignell-Stapleton, Nick Chignell-Stapleton, Emma Haber, Martha Kunicki,
Patricia Ann Stapleton

Hexensong 1

Rote Haare und ein Besen,
welch ein zauberhaftes Wesen!
Eine Hexe – ist doch klar!
Sie heißt Huckla und erlebt,
wie Hexerei auf Englisch geht.

Huckla will nach Hause fliegen,
muss auf ihrem Besen liegen.
In den Wolken tobt ein Sturm,
der sie wirbelnd – alles bebt –
in ein fremdes Land verweht.

Abracadabara
Hokus Pokus Zauberei
dreimal grüner Hexenkuss
Huckla sieht so allerlei:
wie aus dem Sandberg
ein Pferd gezaubert wird
und wie man ganz ohne Angst
ins riesen Weltall schwirrt.

Huckla hört die Vögel singen,
die nicht wie zu Hause klingen.
Sie hängt auf 'nem Baum.
Gegenüber sieht sie dann
eine Hexe, die nur Englisch kann.

Krötenpizza und Gelee
essen Hexen furchtbar gerne
im englischen Café,
blaue Pommes und noch mehr –
Eis am Stil gibts zum Dessert.

Abracadabara
Hokus Pokus Zauberei
dreimal grüner Hexenkuss
Huckla sieht so allerlei:
wie aus dem Sandberg
ein Pferd gezaubert wird
und wie man ganz ohne Angst
ins riesen Weltall schwirrt.

Hexensong 2

Rote Haare und ein Besen,
welch ein zauberhaftes Wesen!
Eine Hexe – it's a witch!
Sie heißt Huckla und erlebt,
wie Hexerei in English geht.

Wholemeal biscuits and some jam
stehen morgens auf dem Moostisch
yellow juice, green eggs and ham,
blue bananas, mouldy cheese –
Can I have some cornflakes, please?

Abracadabra
Hokus Pokus Zauberei
Vampire ist ein Vampir,
Schmetterling heißt butterfly.
Hubble bubble toil and trouble,
count one and two and three,
tummy, bottom, toes and foot
und Knie heißt einfach knee.

Fremde Wesen mit Antennen
lernen sie im Weltall kennen:
aliens – die sind vom Mars,
und das Ufo sehen sie
in der nächsten Galaxie.

Witchy zaubert wie verrückt:
Turn into an Indian!
Huckla ist verzückt.
Magic wand and magic book –
I'm a princess – guck mal Witchy – look!

Abracadabra
Hokus Pokus Zauberei
Vampire ist ein Vampir,
Schmetterling heißt butterfly.
Wieder zu Hause
freut sich Huckla nun
und sie schreibt: It was great,
Bye Witchy, see you soon!

Gesang: Robin Wüstenberg, Michael Reffi
Komposition und Arrangement: Fabian Küttner
Voicing: Michael Reffi
Text: Anja Meyer-Everloh

Hier findet ihr sofort das Abenteuer, das ihr hören wollt: